Mi vida en COLORES

ISBN-13: 978-0-545-01149-5
ISBN-10: 0-545-01149-3

12 11 10 9 8 7 6 5 4 3 2　　　　8 9 10 11 12/0

Printed in the U.S.A.　　　　08

First Spanish printing, September 2007

Designed by Sandra Donin • Proyectos editoriales

Mi vida en Colores

Sergio De giorgi • Luz Igolnikow

SCHOLASTIC INC.
New York Toronto London Auckland Sidney
Mexico City New Delhi Hong Kong Buenos Aires

Mi vida es un mundo lleno de colores.

El día de mi cumpleaños, apenas llegan mis amigos...

mi casa se ilumina de naranja.

Pero cuando mis papás me llevan a una de sus fiestas de mayores
y no encuentro a nadie con quien jugar...

el día se vuelve gris.

Si mis papás se enojan conmigo y no me dejan ver la tele,

me da tanta furia que...

todo se pone verde.

Un día, mi maestra me preguntó algo...

y yo me quedé en blanco.

Sé que los monstruos no existen, pero algunas sombras me dan *tanto* miedo que...

lo veo *todo* negro.

Los días que llueve, miro por la ventana...

y me parece que el barrio se vuelve azul.

TIENDA
VERDULERIA

Ya sé que no está bien, pero cuando a mi amigo le regalan un juguete más grande que el mío, me da un poco de envidia...

y siento que todo a mi alrededor es amarillo.

CAR
5

Siempre que nos vamos de la playa, el último día de vacaciones...

el mundo se tiñe de violeta.

Pero en cuanto llego a la escuela y aparece mi mejor amiga...

veo la vida color de rosa.

Y cuando me saluda y me da un beso, no puedo evitarlo...

me pongo rojo como un *tomate*.